CW00558493

Les jours en friches

Jean-Yves Anézo

Les jours en friches

Recueil

LE LYS BLEU
ÉDITIONS

ISBN : 979-10-377-7881-9

Écoute-toi
Laisse faire
Goûte chaque mot
Et laisse encore les silences
T'affecter

Ris
Pleure
Écoute doucement
Ta voix vibrer dans l'air.

Du même auteur

Collectif, Vodou au féminin, *Des mythes originels aux femmes d'aujourd'hui en Afrique de l'Ouest.* Catalogue d'exposition. Château musée Vodou. Strasbourg 2018. 51 P.

Jean-Yves Anézo, Mickaël Mailfert, Max Thomé. Magie religieuse et pouvoirs sorciers. *Croyances, pratiques et représentations de l'invisible entre Rhin supérieur et Afrique vodou.* Catalogue d'exposition. Château musée Vodou, Strasbourg 2020. 133 P.

La feuille et le vodou, *La puissance du végétal dans la pratique religieuse des vodous africains*. L'Harmattan, Études africaines, Série Ethnologie. Paris 2021. 729 P.

Jean-Yves Anézo, Marc Arbogast. Pirogues Todjivu. Catalogue d'exposition. Château musée Vodou, Strasbourg 2022. 97 P.

Naître d'abord
Le vouloir doucement
Du bout des doigts sentir
Attendre près du gouffre
Ne pas trahir son feu
Venir
Ouvrir les yeux comme on murmure
Choisir
Sortir de l'eau en se noyant de larmes
Suffoquer
Respirer
Se repaître soudainement des souffles ignorés
Et peut-être prier
Sur l'épiderme doux

Naître d'abord
Le vouloir âprement
Ouvrir les yeux comme on murmure
Ce qui vient ce qui laisse
Tout sentir
Souffrir ce qui s'entend
Meurtri tout apaiser
Cesser

Attendre alors
Au bord du monde dévoilé
Pleurer à l'infini
Bercé de vocalises tendres
De violes tristes
D'orchestres graves

Puis n'être plus
Ému
Incertain
Silencieux
Espérer
S'attarder encore
Un peu
Et ne plus rien entendre
De tout finir
En tremblant rester là
Comme on soupire

N'être plus
Mourir comme on s'égare
Et pour ne rien sauver
Un à un peu à peu
Éteindre tous les feux

N'être plus
Céder là

Perdre lentement son regard
Comme un oiseau succombe
Épuisé
Dans l'azur d'une belle journée.

Voyez filles des souches fières et blondes qui m'aimaient
Entre l'aube sereine et le crépuscule
Le vague céleste qu'une rumeur inonde
Voyez comme s'exaltent mes soifs
Comme s'émeuvent mes appétits sur mon lit d'écorces vermeilles
Voyez les roches que le suintement parfait des brumes cisèle
Et l'interstice des murmures où se loge mon âme

Des chœurs jouent
Des chœurs s'embrasent dans les rais étoilés
Qui coulent sous les ramures douces

Voyez les grouillements infimes
Ces frémissements d'épidermes tourbeux
Voyez comme je suis vivant malgré les moissons folles.

Bleue parfois grise
Ou d'encre noire sur le blé dormant
Ou grêlée d'or à la crête de l'eau
Orangée sur l'absurde cité
Couleurs de l'aube changeante

Éternels balbutiements
Lavis d'ocre et de pourpre sur les dunes
Torrent cristallin qui tantôt s'annonce
Pour baigner les corps engourdis
De chaleur et de joies

Blanche dans les hauteurs du ciel
Violine sur les granits des calvaires
Sur les mousses des ardoises des stèles
Violine effleurant les gargouilles
Couleurs de l'aube pleine

Couleurs d'aube bénie
Traits limpides taches jaunâtres
Grenat des ramures élégantes
Touches vertes des taillis
Bleuissures en gerbes sur les bois des plaines

Couleurs d'aube grâces du jour
L'aube solaire caresse la terre lasse
Caresse l'éclat sacré de l'œil du faon
Ballerines de l'air ballerines du temps
Couleurs d'aube toiles de vent.

Un sang d’hiver pleuvait des jours durant
Sur les routes et les terres endormies

Quand j’étais enfant j’avais une guitare
Qui envoyait aux vents des musiques barbares

La grève humide projetait vers les villes
L’écho guerrier d’ombrageux grésils

Quand j’étais enfant j’avais une guitare
Qui envoyait aux vents des musiques barbares

J’avais des jouets de plomb d’ébène et puis de verre
Qui déclamaient aux vents des poèmes austères

Le sol rouge des garrigues un instant
Levait dans les chardons des tourbillons d’épines

Quand j’étais enfant j’avais une guitare
Qui envoyait aux vents des musiques barbares

Un épervier survolait l’arche des longues plaines
Et son œil enflammait le grand sphinx hypnogène

Moi quand j'étais enfant j'avais une guitare
Qui envoyait aux vents des musiques barbares.

***

Amandes à tout venant vertes amandes
Je ne vous dirai rien.
Il y a trop de sucres froids sur vos grèves et dans vos mares

Je suis encore dans une larme rose
Quel sang dois-je fouler
Braises fraîches
Brûlures écarlates
Oblongues nourrices du désir
Blondes chairs je ne vous dirai rien
Simples gangues vos germes en dedans s'érigent

Casser les murs les troncs fades
Briser les horloges
Tel est l'espoir utile.

Une cape de ténèbres cachait à peine
Mon torse nu comme un écu de sinople
La froide griffure du noroît établi
Avait cerné mes yeux d'un orbe violet
Et scarifié mon front bleui de courtes boursouflures
Dans l'idéal du long pèlerinage que j'avais initié
Ce n'était pas un songe

Je marchais lentement sur l'océan fertile
Dont les striures grises accablaient tous mes pas
Décharné tous les os douloureux
Innocent comme l'enfant fidèle et bon

J'allais au large le cœur émancipé
Parfois des grains d'encre violents
Brûlaient mon ventre et mon visage
Pourtant j'allais présumant d'une fin accomplie
D'une guivre couronnée au loin dévorant ma dépouille

Mes doigts par instant s'évanouissaient dans l'air
Çà et là flottaient des roches de ponces claires
Sur la ligne cobalt tracée aux limites du ciel
Les falaises et les grèves comme des traits futiles
Sombraient peu à peu dans la sorgue d'hiver
De ma bouche saillit l'oiseau léger et pâle
Comme un voile de tulle de soie brodé de fils d'or
Vers la promesse dans les nuées d'une quiète lumière.

La lune est amère
L'enfant qui mord dedans
Recrache en grimaçant
Des morceaux de lumière.

***

C'est ainsi
Il n'y a plus de songes obscurs
Plus de sanglots insensés
De colères
Rien

Plus rien
Ne dérange les visages égarés
Images grises évanouies
Lourdes d'humiliations
Rictus désolés
Qui taisaient le clair et chaud bonheur de la vie
Dans les tourbillons froids des brumes éparses

Il n'y a plus de songes obscurs
Plus de sanglots insensés
De colères
Il est déjà Si tard.

Envahissante comme un soupir d'eau
Réapparue du fond des limbes doux

Tu es nue comme une encre de feu
Une enfant muette accroupie immobile

Sur ton épaule coulent des gouttes tièdes
Des perles d'aurore que le soleil envie

L'orge illuminée brûle dessous tes doigts
De marne souple d'hysopes cérulées.

Je cherche le berger qui dort sous les ombrages
Ce poulpe d'autrefois aux mille déraisons

Donnez-moi des chênes droits
Et je le trouverai au-delà je le sais
Des ajours du temps d'où poignent les clartés
Qui esquissent nos jours

Au fond d'un havre calme
J'armerai des nefs enluminées
Pour quitter nos demeures pluvieuses
Et puis je partirai passant la lucarne béante
Amiral orgueilleux certain de son triomphe
Menant ma flotte dans la matière obscure
Entre les galaxies baignées de roses incandescents
Où s'imaginent de nobles farandoles

Les coques lourdes danseront des valses troubles
Sur l'indolente et large houle de l'infini
Dans les haubans mes rudes équipages
Hurleront leurs chansons folles à l'unisson du vent
Des griffons coléreux s'élèveront aux ciels

Compagnons terrifiants de nos navigations
Gardiens ardents de nos trésors
Jusqu'à l'île perdue où dorment les enfants
Les bergers et les poulpes aux mille déraisons.

De mon lit blanc j'entends la mer
Ses sanglots froids lissent le sable
Dessous les tourbillons d'écume

La lune traîne encor lasse de l'aube
Où de grands oiseaux sages
Éploient leurs plumes blanches

Des chants d'enfants à l'horizon
Mêlent leurs airs à ma chanson
Plus tendres plus heureux

De mon lit blanc j'entends la mer
Dans sa colère qui bat les grèves
Elle jette là-bas sur la dune
Ses paillettes de nacre
S'abat
Puis s'abat à nouveau et sans fin recommence

C'est le soir
Le ressac doucement moire la terre
Aussi loin que l'on peut voir
Une bruine d'or trempe le ciel

De mon lit blanc j'entends la mer
À la lisière des îles
Frangées de roches brunes
Une volée s'élève inquiétée
Par le souffle secret d'un chuchotement

Dessus l'écran rougi de l'air
Des silhouettes humaines ont dessiné leurs ombres
Soudain vient la nuit close
Et ses respirations.

Un grand cheval Akhal-Téké
Piaffe dans les neiges d'avril
Ses muscles modelés
Dessous sa peau fragile
Ses naseaux en colère
Fument leur brume bleue
Sa robe de lumière
Et son œil furieux
Sèment des jaillissements
D'agate et d'opaline
De jade et de diamants
Sur les blanches collines
Et les rameaux naissants
Des steppes de Turkménie

Il se tend il hennit
Il défie le printemps.

Les insectes comme des semences
Épandues sur le sable gémissent
Tant leurs seins rouges s'enfièvrent
En cet hiver où dégringolent
Merles frugaux et maigres mandarins

Une femme potelée me tenait par la main
J'avais mis un long manteau de strombe gris
Quelques chiens noirs et roux s'accrochaient à nos basques
Dans le silence obstiné du chemin

Elle avait un charmant foulard d'avoines sèches
Autour de son col en pétales d'arums empesés
Une broche d'émaux blancs épinglée sur le gilet

Je portais le chapeau de ceux qui suivent embrumés
En mâchant des prunelles à pas lourd leur cortège funèbre
Et marmonnant en douce de bas mots d'argousins

Derrière les dunes parfois des villes surgissaient
Leurs hauts murs de verres obscurcissaient le ciel
Les flèches de leurs temples perforaient l'horizon

Toutes les heures brisées avaient rendu nos âmes muettes
Comme un matin d'ivoire à l'ombre d'un amandier
Comme une larme bleue sur la joue fraîche d'un gamin

J'avais à la hâte décroché de son clou
Ma grande gibecière en peaux de martres cousues
Vite emplie d'une fiole d'averses et de parfums de brumes
De lambeaux de ténèbres et de graines d'étoiles

Mais elle serrait mes doigts et pleurait dans sa langue de nymphe
Les perles de soleil que j'avais oubliées dans ce coffret d'argent
Qu'elle avait bien posées jadis devant moi sur le guéridon noir

Les larmes de son sanglot baignèrent des soupirs si profonds
Qu'une source apparut sur le tapis d'écailles d'un morpho
J'essuyais penaud du revers de ma manche pagode
Sur mes lèvres pincées la goutte salée d'une amère infortune.

Elle se lève dans sa chemise tiède
Et cueille une rose dans l'eau
La fenêtre cache un reflet

Je veux lui offrir des ponts futiles
Des espaces ordinaires des chemins de sable
Et un jardin de palmes

Elle veut toute nue se laver à nouveau
Elle observe ses cheveux qui bouclent sur sa nuque
Et la branche d'un vieil olivier

Les enfants sont propres
Comme les meubles et les parquets
Je veux le lui dire mais je me tais

Elle énonce des théories des préceptes
Absorbe quelques noisettes
Et un brasier d'oranges séchées

Un manège absurde fait défiler
Des images secrètes
Et des visages flous.

Lune rousse
Lune orange
Lunes de soies infinies
Décembre veille sur les morts
Cessent de couler les sources câlines
Substances des herbes et des arbres figés
Le vide glace les rêves incertains
Sous les arcs subtils des églises
Lune rousse
Lune orange
Lunes de soies infinies
Ô Monde
Fêlures des stucs
Sur tes plaies grouillent des cafards
Et les heures s'amoncellent
Une à une plus nombreuses
Sur les dalles de marbre
Mousse des nefs
Tout commence

*

Les étendards fleuris s'inclinent
Sur la terre tendue
Ronde comme un ventre
Fertiles échéances

Où l'homme est cheval
Le cheval est vautour
Et le vautour ressac
Que suis-je dans les silences
Qui mènent aux mystères
Pierre des pentes lacustres
Lave ou diamant
Dans le silence qui dure
Étonne-toi des perce-neiges
Des barcarolles enjouées
Réjouis-toi des chevelures
Qui nous toisent au hasard
Des frondes juvéniles
Ô monde

*

Frondaisons des bonheurs vivants
Sources rieuses
Horloges des étoiles fauves
Clapots secrets platins d'orfèvre
Sources rieuses
Désirs dressés des bacchanales
Sources rieuses
Ardentes fenaisons sommeils avides
Ô monde
Embruns de lumière
Violence
Sources rieuses
Pardons des crépuscules
Brasiers des esplanades avenantes

Sacres des amours musicaux
Baptêmes des astres
Sources rieuses

*

Des averses d'or
Noient dans leur miel
Les collines et les plaines
Une mandoline vogue sur le fleuve
Le vent disperse les étincelles de l'horizon
Grappes bleues amassées sur la nuit
Dentelles impavides
Tu trembles dans l'aube fraîche
Grappes jaunes éteintes
Ô monde
Un pont noir s'avance
Il pleut

*

Lune rousse
Lune orange
Lunes de soies infinies.

(Ouidah. Maison Vodounon,
Porto-Novo. Février 2022)

Je pleure des larmes noires
Des chants inutiles
Des larmes noires imbibées de ciels en bernes
Comme des rideaux de deuil
Des larmes honteuses
Des larmes noires imbibées
De terre de barre dérobée
De terres brûlantes
Imbibées de sables rouges
D'oiseaux épouvantés
D'arbres morts baignant au cœur des nuées des moussons
Loin des magies des enchantements des ivresses
Des incantations inutiles
Je pleure des larmes noires
Brûlantes comme la foudre
Des larmes qui se répandent
Aux creux des fosses des scarifications des plaies
Des larmes noires d'Irokos
Des larmes noires d'Irokos
Qui portent la mémoire des sages morts
Qui chuchotent devant les autels
Des larmes noires d'Irokos
Qui sont des Dieux à l'abri de l'aube

Leurs feuilles s'imposent dans l'air des hommes
Leurs troncs se nourrissent de sang et de bouillies froides
D'alcools et de prières

Les morts aussi versent des larmes noires
Sur leurs entraves de fer et de bois

Les tambours battus par des mains fortes d'espérance
Pour les vivants ou pour les morts
Rompues à des rythmes éloquents
Récitent leurs musiques anciennes
Des chants inutiles
Des larmes noires silencieuses coulent
Sur les vestiges enfouis
Au gré de l'infini de jours qui accablent
Des larmes comme des oiseaux
Qui se taisent
Qui picorent des os boueux des occiputs blancs des fémurs brisés
Qui disputent silencieux des lambeaux de phalanges
Aux mouches qui s'en repaissent
Des larmes noires comme des oiseaux
Aux plumes brûlées par la foudre
Quand cognent et résonnent en écho
Dans l'air infini les tambours de l'Àcá
Et que s'élèvent les chants des femmes
Dans les feux du soir
Aux pieds des Irokos et des Baobabs
Qui sont des Dieux
Des larmes qui brunissent les eaux lustrales et les feuilles sacrées

Elles brunissent les eaux lustrales et celles de l'océan
Celles des fleuves celles qui purifient
Celles de l'océan qui est un dieu
Les mains des femmes
Les cris des chasses des poursuites
Les essoufflements

Des lances dansent
Des larmes noires qui creusent des cavernes
Tandis que résonnent les tambours de l'Àcá

Je pleure et verse des larmes noires
Sur les paupières des enfants
Sur les sourires des vieux
Sur les paupières accablées des mères
Sur les paupières accablées des tantes
Des grands-mères des sœurs
Sur les chairs
Les effarements
Des cliquetis brouillent les souffles
Je verse des larmes noires sur la mer
Sur les navires sur les mâts et les mains qui se tendent
Sur les vergues sur les voiles sur les ponts de chêne
Et les cordages

Des cliquetis brouillent les souffles
Des cliquetis font place aux hurlements
Des larmes noires de déshonneur
Sur la puanteur qui brouille les respirations et les gémissements
Sur les mains qui se tendent

Les chants inutiles les berceuses inutiles
Les râles inutiles

Tandis que tonnent les grands Blékétés
Sous la foudre et les averses des moussons
Des larmes noires comme des couteaux
Répandues sur les grands tambours des colères du ciel
Sur les hysopes les dragonniers les mombins
Sur le sable rouge
Sur les dévotions inutiles
Sur les percales maculées des arbres

Comme des couteaux de scarifications
Comme des couteaux qui signent des pactes inutiles
Je pleure des larmes noires
Que le vent emmène
Qui virevoltent comme des plumes noires
Comme les étincelles du brasier
Comme des poussières comme des âmes
Qui s'étalent sur les chaumes et les ruines
Sur le pisé noir des ruines obombrées de cendres
Et les célosies obombrées de cendres
Dans les bêlements et les hurlements
Les cliquetis les aboiements inutiles
Sous les palmes obombrées de cendres
Dans les herbes obombrées de cendres
Sur les canaris renversés et brisés
Obombrés de cendres

Les claquements
Les chats-à-neuf-queues

Je verse des larmes noires
Comme des tâches de mémoire
Qui jonchent nos jours qui accablent
Nos nuits qui accablent
Sous l'œil patient des oricous

Elles s'épandent dans les travées des temples orgueilleux
Qui portent la mort
Des églises vaniteuses
Qui portent la mort
Des larmes noires sur les dômes des mosquées
Qui portent la mort
Sur les croix et les demi-lunes d'où suinte le sang
Qui perle sur les cierges et perle sur les tapis
Les mosaïques et perle des encensoirs

Des trônes sculptés des palais
Qui portent la mort
Et creusent leurs fosses sépulcrales
Et les effarements
Tandis que tonnent les grands tambours Satos
Ô morts mes frères capturés
Ô mortes mes sœurs capturées
Vos murmures s'élèvent près des autels
Vos murmures s'élèvent dans la clarté lunaire
Tandis que tonnent lentement les Cènkoumès
Les Gan-gans

Les implorations inutiles
Dans la chaleur des cours

Les champs de haricots
Dans les frondaisons des manguiers
Les fossés les ornières les creux de la terre

Champs d'ignames vermeils
Dans les rivières et dans les puits
Dans les forêts que nous honorons
Tandis que tonnent lentement les Gotas
Les Batas
Qui brisent les silences soudains du pays
Où dansent les lances

Je vous aime mes frères anciens
Je vous aime mes sœurs mortes
Qui veillez

Les femmes muettes jettent encore l'eau sous mes pas
Et mes pas marquent la terre des femmes
De mes frères anciens
De mes sœurs mortes
Qui veillent
Je vous salue dans vos habits grossiers de coton blanc
Humbles et maculées
Des larmes de deuil
Des larmes de honte
Noires comme une nuit profonde

Je vous aime mes frères morts
Mes frères anciens

Je vous aime mes sœurs mortes
Sœurs anciennes

Tandis que le tambour se tait
Les femmes encore chantent vos louanges
Vos paroles sacrées
Elles chantent vos noms sous les étoiles des nuits profondes
Elles scandent vos noms sur les chemins des grandes forêts
Où se terrent les dieux terrifiés
Tandis que le tambour se tait.

(Maison Vodounon, Porto-Novo. 5 février 2022)

Au matin de la lune morte
Deux heures après l'aurore
Dans l'air épais
Le soleil fige les fleurs
Les petits Souimangas viennent
Et légers virevoltent
Comme des étoiles irisées

Qu'il est bon
Le silence clément
Des douces palmes bleues
Du grand arbre sans ombre
Immobile et secret
Quand au tréfonds des rues de corail
La lumière retient les hommes
Qui peinent à s'éveiller.

Nous avions vu la couleur du ciel
Jaune comme un citron d'Italie
Constellé d'étoiles blanches
Légères
Qui virevoltaient

Peut-être était-ce des flocons
Ou le duvet d'un ange
Ou celui d'un oiseau
Les larmes d'un arbre
Les ailes des papillons

Nous avions vu
Le sol jonché de corps d'insectes
Inertes
Et loin de nous
Brûlaient des forêts
Tous les jours
Toutes les nuits
Nous avions vu
De petits hommes bariolés
Pleurer
Crier à genoux sur l'humus brûlant

Vous le saviez

Nous avions vu la couleur du ciel
Jaune comme un citron d'Italie
Jaune comme un soleil
La terre brûlait
Comme nos tempes
Comme nos yeux

Nous avions vu la couleur du ciel
Jaune comme un citron d'Italie
Et ces petits hommes bariolés
À genoux sur l'humus brûlant
Les poings fermés

Nous brûlions vous le saviez.

Poitrines pieuses
Ventres fervents
Duende
Chiens de feu immaculés
Âpre limon

L'extase est-elle au bout du chant des regards
Sur les vestiges résonnent des Paters diffus
Entonnés dans les entrelacs des poutrelles et des blocs

Elles sont flammes
Gerbes de sang quand elles dansent
Ils giflent la nuit
Du plus profond de leurs chairs
Et violemment déchirent la mort

Leurs voix regorgent d'ombre
D'ombre tiède
Et le désir émane de leurs visages fiers
Lancinants chevaux
Cheval rauque dans le crépitement recueilli des tragédies
Ils crient

L’extase est-elle au bout du chant des regards
Au bout du chant foncier des regards
Dès lors que le sable des arènes
S’imprègne d’incarnat

Leurs bras comme des cygnes d’ivoire
Percent la clarté du brasier où roulent les guitares.

Dieu que de regrets
J'aimais tant ces belles lumières
Qu'offrait le soleil à l'hiver
Rasant les dunes desséchées
Sous l'assaut cruel de la bise glacée

Souffrir les absences
Encore lassé de tout
J'aimais la pluie j'aimais le vent
Qu'abandonnait le ciel à l'océan
Et ces fleurs tracées en dentelles de mousse
Sur l'ocre des grèves par la vague si douce

Ô Dieux
Tapis dans les forêts et les pierres
Écoutez les regrets
De l'homme nu à genoux sur la terre

J'aimais les danses des enfants allant rêvant d'or et de soie
J'aimais les sources j'aimais les bois
Où se cachaient des panthères de feu
Le grand boa et l'oiseau rouge à tête bleue

Souffrir les mots perdus
Tout encore laisser aux remords
La nuque lasse
Des larmes épaisses tombent
Et s'effacent

Ô Dieux du ciel et de la mer
Dieux des hommes
Grands Dieux de l'univers
Écoutez l'homme pleurer à genoux sur la terre
S'effondrer et souffrir
Les vies perdues

Souvenez-vous
Au crépuscule
Des iris dorés
Si fièrement dressées
Le long des berges brunes
J'aimais tant le silence le bon air
Les collines les champs de blé
La mouche et l'araignée
La souris grise le pic-vert
J'aimais tant rire et puis chanter.

Nous regardions les palissades en cette époque de griseries
Et ces types droits qu'habillaient des guérites

Nos pupilles ouvertes comme des marguerites
Offraient aux montagnes des coiffures fleuries

Nous dressions là des concertos rageurs
En riant tous ensemble en compagnie des anges

Et regardions à l'unisson les Suds enchanteurs
Où sont des pics blancs grimés d'un fard étrange.

Lunes d'ivoires qui creusent
Dans nos ténèbres
Comme des oasis fécondes
Les sphinx mauves qui heurtent vos lumières
Froissent leurs ailes fragiles

Il reste des rêves d'univers
Dont je dois m'emparer
Des forêts pour célébrer nos cultes ataviques
Des sources vierges
Et des calices d'étain.

***

Ce sont des vapeurs fragiles
Des roches pieuses ourlées d'argent
Plaisent aux Dieux qu'elles ne soient ivres
Ronces

Ce sont des lierres emprisonnant
L'âtre creux et les clôtures massives
Ravines
Brouillards en nappes de feutre
Aura des chênes gris des haies des chapelles
Traces de nuit
Royaume

Ô Royaume
Le pas de l'ange froisse l'ortie.

***

Sur cette longue berge
Où meurent en d'anodines pulsations
Les eaux denses de la mer
J'ai planté une croix de cèdre bleu
Comme un signe dans l'ombre du ciel

Là sous l'amas conique des transparences
J'ensemence le sable blanc
J'enfouis ma coupe de nacre comme une douleur
Un violon gémit dans l'azur embué
Et se mêle à ma voix.

***

L’arbre antique a souffert
Son tronc gris s’est ouvert
En son cœur
Du fond des tombes
Dansent les ombres
De nos pères

Son tronc gris s’est ouvert
En son cœur
Le souffle doux de mes aïeux
D’un baiser tendre sur mes yeux
M’effleure

L’arbre antique a souffert
Son tronc gris s’est ouvert
En son cœur
Du fond des tombes
Chantent les ombres
De nos mères

Son tronc gris s’est ouvert
En son cœur
Claire comme une onde
La nuit profonde
Baigne mon âme
L’arbre antique a souffert
Son tronc gris s’est ouvert

En son cœur
Dessus ma tête nue
Les dieux sont venus
Pour danser

Son tronc gris s'est ouvert
En son cœur.

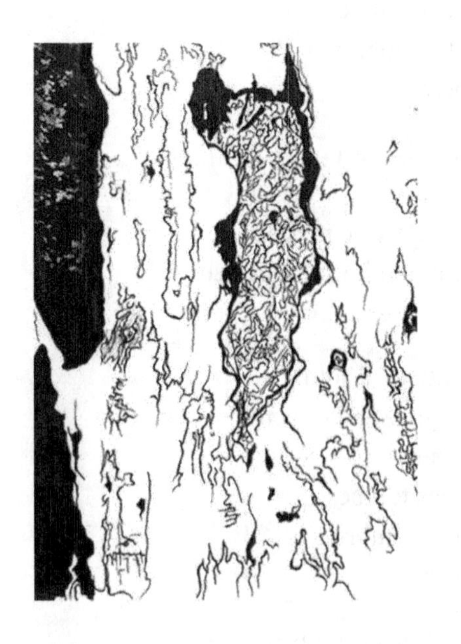

Comment deviendront-ils d'émouvantes statues ces fantômes dormants
À l'écart des fontaines et des saules
À quel instant l'éclair figera-t-il les torrents de leurs cœurs
Dans cette fosse noire qu'est leur ville
Où rodent des ours affamés

La lune pleure sur leurs tombes ses fragments d'argile blanche
Et nous ignorons leurs noms étranges gravés sur la planche droite
Et polie fichée dans l'herbe
Quel pain de terre mangeront-ils
Quelles fleurs rouges sécheront dans la poussière de leurs avenues
Où seules quelques ombres s'égarent

La lune effarée perce les vitraux silencieux
Elle allonge ses lueurs sur l'autel où les anges se sont endormis
Dans cette fosse noire qu'est leur ville
Quels jeux verront bientôt les enfants unanimes
S'étendre sur le ventre dans les flaques des ruines
Leurs traits vifs effacés peu à peu par de mélancoliques sourires
Quels sifflements de feu frapperont leurs amours voûtées
Le souffle de leurs amours étouffé
Leurs chevelures dispersées sur les pierres humides
Dans cette fosse noire qu'est leur ville.

Souvent les hommes sont absents
Loin des venelles pures
Ils forgent l'amertume
Et fauchent les buissons bleus

Au foyer d'un sage d'Avila
Dans l'âtre de la crypte
Reprend la flamme à demi morte

Par les fenêtres des maisons blanches
Volent lentement des badauds
Aux lueurs des crépuscules
Dans leurs habits de deuil.

***

Des ellipses sauvages au bord de l'albe
Projettent en reflets comme une grâce
Sur une table mûre et large comme un cri
Chants d'oiseaux invisibles chants de lumière
Chants d'œillets fraîcheur secrète des étoiles
Amour amour amour amour
Respire encore ton éveil
L'ombre est vaincue sur la lice des sphères.

***

Rien n'effleure les prémices des songes
Rien ne s'élève contre les folles rives du fleuve
C'est l'abandon des gangrènes habiles et du doute
Passe l'hortensia du ciel
Et l'écureuil cendreux du carrousel.

***

Sur la poudre des carrières qu'éclairent les rayons des étoiles complices
Ils meurent à l'aube
Ils meurent en silence et sur leurs corps sèchent le sang brun des oiseaux
Souillés de brume
Dans l'ondulante et torride saison d'ombreux traits s'enfièvrent
Sur les forums
Ils meurent dans les saveurs d'oranges grisées par les échos férins des oliviers
À l'infini
Ils meurent où nos abris s'effondrent.

***

Un autre jour
Dans l'urne cristalline transparente comme un cœur
Chantait une madone brune

Je suis l'ogre des ramures pesantes
L'ogre des cantates d'hiver
Comme un Jésus nègre étendu sur son lit d'algues sèches et de mandarines
Qui chamaille les monarques rougeots des enfers arides
Dont l'attente incertaine aiguise les appétits.

***

Les foudres peu à peu ont cessé leur combat
Et laissent divaguer mon âme apaisée
Je me joins aux mânes qui hantent de leurs cris
Le soir les plaines grises et les hameaux brumeux.

***

Somptueuse au cœur
Reine dedans
Lasse de trop de tourments
Sur les traits courts de son front
Les plumes chaudes de ses rêves
Dispersées dans une coupe trouble
Consument l'ambre de sa raison

Je prie pour elle chaque heure odieuse qui s'impose
Je prie pour elle Sainte mère des mères
Et je fais des promesses
Je prie pour elle
Que ses mains dans mes paumes
Se blottissent à jamais et doucement renaissent.

***

¿ A donde va la niña de Puerta Oscura ?
Les plis de sa robe jouent des reflets de lune
Elle perd l'œillet rouge de ses cheveux
Dans le sable de la Porte Obscure
Et s'efface
La nacre du ciel sur la mosaïque des murs
Ruisselle en abondance dans la nuit
Où va l'enfant silencieuse qu'un amour attend.

***

Il imagine dans sa solitude fiévreuse
Sur l'océan impassible et muet
La musique des averses lourdes

Des soldats sonnent leurs clarinettes
Tandis que la foule heureuse
Compte les insignes dorés

Il déambule à travers la ville
Qu'enveloppe le crépuscule
Et se souvient amèrement
De ses limpides origines

Un chef attentif et raide
Ganté de blanc
Donne d'une seule main l'invariable tempo
Des marches militaires

Sur la place rectangulaire de l'Opéra des muses
Aux colonnes vaniteuses
Les gamins joyeux se moquent des fifres et des képis

Il passe des ponts fleuris
Sur des eaux agitées
Où des sirènes lui murmurent
Viens nous allons te bercer.

Mes baisers versent
Du jus de cerise
Au loin la noce
Bat son plein
Je ne sais
Où sont mes lunettes
Ni mes mots ni mes chaussettes
Le ciel s'est éteint

Je dîne de patelles au beurre
Et de lambeaux de cœurs
Cuisinés au romarin
Dans un pot adamantin
Le ciel s'est éteint

L'on me dit du moins
Homme étrange et rieur
Lorsqu'assis en tailleur
Sur mon tapis berbère
Je lis des contes pervers
À haute voix du soir au matin
Le ciel s'est éteint

Je chante et je déclame
Au-dessus des maisons
Oui j'ai perdu mon âme
Ma pendule et mon violon
De grâce laissez-moi seul
J'ai perdu la raison
Mon enclume de bois
Ma fortune et mes oignons
Dans ma besace il n'est rien
Le ciel s'est éteint.

(Hotohoué. Maison Hoto, février 2022)

Corps engobés de blanc comme des céramiques
Naïves figurines vivantes du marché
Un Dieu vient dans la tiédeur du soir
Ailleurs dans la danse qu'elles mènent
Il est sur elles leurs âmes sont absentes

Elles offrent leurs coiffes bleues
Leurs têtes courageuses
À genoux sous les doux rayons d'un soleil clément
La poussière de la place s'élève dans les chants
Et saupoudre d'orange les robes immaculées

Un parfum accompagne les lourdes sagaies de fer
Qui frisent nos cous au rythme de la marche
Drame d'abandon invectives sacrées
Pantomime agitée des rites solennels
Là parmi les hommes assemblés
Gravement l'Esprit s'attarde.

Soyez purs disions nous
Assis bras ballants ou à genoux
Sur le gazon de l'aube
Soyez purs disions nous
Comme si nous devions en rire

Surpris face aux reflets lucides
J'ose me dénuder
Certaines nuits hélas sont des océans morts

Et puis les travaux tonnent
Dans leur lancinante clarté
Là
Dessus la pierre jaune
Je suis là
Passif
Silencieux

***

Ô ces frêles espoirs
Qui font croire aux aurores

Elle se tient pleine de douleur
Bras tendus devant elle

Elle sent palpiter doucement
Au creux de ses mains jointes

Sur ses doigts de satin froid
Le cœur du fils tant aimé

Puis découpe les ailes blanches de son enfant
Tandis que s'effacent ses utopies.

***

Demain je chanterai
Pour les sirènes des abysses
Des cantiques d'amour
Elles logent au fond des mers
Au large Ægée
Dans de lugubres tours
De laves et de coraux qui furent érigées
Six cent mille ans avant nos jours.

***

Un sel ardent a tatoué ses dentelles sur mon cœur
Puisque seul tu as rendu ses ailes claires
Au cheval dément qui se dérobait en mon regard
J'irai là où les louves assagies illustraient tes pages
Souvent il m'en souvient de nos heures fugueuses
Que les coucous aphones taisaient

Il m'en souvient encore du ciseau de graveur
Qui fit saigner l'arche profonde de tes yeux
Et d'autres voix appellent
Appellent et résonnent
Appellent et brisent dans mes songes
Les rocs pesants
Appellent et se heurtent en écho
Aux creuses espérances
Alors je tends au ciel mes mains comme deux écriteaux.

***

Je suis le sang du ciel sacré
La foudre agite mes yeux
Le tonnerre est en mon cœur
Ma hache brise les corps
Mon feu ensemence la terre

Dites vos oraisons
Dansez
Chantez
Je viendrai dans la clarté du jour finissant
Je viendrai semblable au crépuscule
Je viendrai draper la nuit sur le monde
Attentif comme un père aimant.

***

(Ouidah. Maison Vodounon, Porto-Novo. 19 février 2022)

Toutes les ombres humaines ont la même couleur
Morts plus que vivants dans la nuit sans étoiles
À petits pas ils traînent leurs corps abattus
Leur peau noire ruisselle du sang lourd de la peine
Et ruissellent des larmes de leurs arrachements

Elles vont ainsi ces funèbres cohortes
Dans le feu de la plage ils tombent et se relèvent
Trébuchent sur la grève et se lèvent encor
Leurs belles âmes brûlent sous la morsure inique
Du cuir sec des lanières et des lests de plomb
Dans leurs dos les mains comme des braises
Ne peuvent implorer le ciel qui les ignore
Les pieds enflammés par des chaînes ardentes
Écorchés lentement ils avancent

Les femmes pleurent qui les entend
Leurs cris s'effondrent dans l'épaisseur de l'air
Sur d'autres rangs là-bas où l'on peut voir
Leurs frêles têtes noires agitées d'une folie cruelle
Plus mortes que vivantes dans la moiteur du temps
Parfois des chants s'élèvent comme autant de défis
Sous les yeux impassibles de petits hommes blancs

Toutes les ombres humaines ont la même couleur
Morts plus que vivants dans la nuit sans étoiles
À petits pas ils traînent leurs corps abattus
Leur peau noire ruisselle du sang lourd de la peine
Et ruissellent des larmes de leurs arrachements

Que peuvent-ils croire de la vague qui veille
Tout au long de la rive c'est la mort qui guette
Une silhouette sombre aux ailes blanches
Patiente et scrute au large sur l'océan complice
Ceux qu'elle dévorera comme un oiseau de proie

Ballottées par le flot les pirogues sont là
Comme autant de cercueils qu'ils doivent embarquer
Est-ce une chance ainsi de vivre maintenant
Quand les anges déchus fuient le pays des morts
Où sont la belle sirène et le python du ciel
La lune et le soleil la rivière et le vent
Les ancêtres des forêts et les grands irokos

Toutes les ombres humaines ont la même couleur
Morts plus que vivants dans la nuit sans étoiles
À petits pas ils traînent leurs corps abattus
Leur peau noire ruisselle du sang lourd de la peine
Et ruissellent des larmes de leurs arrachements

Hommes et femmes séparés des enfants
Ployant sous les fers l'effroi et la douleur
Ils montent par sept dans les barques agitées
Iblis sur sa muraille en habit de soie rouge
Coiffé d'un chapeau noir orné de plumes bleues
Surveille d'un œil morne l'œuvre de ses démons

Sept par sept on les pousse on les tourmente
La vague frivole se joue des barques et des corps
Dans une ultime horreur elle les jette à la mer
Ils chutent au fond des flots comme une délivrance
Si profonde et si douce qu'ils ne reviennent pas
Au loin sans espoir de retour certains vivent encore
Et lentement s'approchent du monstre qui les guette

Belle Afrique ma mère tes larmes sont mes pleurs
Toutes les ombres humaines ont la même couleur
Morts plus que vivants dans la nuit sans étoiles
À petits pas ils traînent leurs corps abattus
Leur peau noire ruisselle du sang lourd de la peine
Et ruissellent des larmes de leurs arrachements.

Choros bruns empourprant mes amours
Quelles étaient douces ces tendres flammes

Que sont devenues les douces ramées du ciel
Elles se jouaient des sombres étoiles et des tambours funèbres

Et les longues psalmodies de mes chairs fiévreuses
Les tarentelles joyeuses sur mes enseignes bordées d'orfroi

Elles annonçaient les avenirs qu'il faudrait éclaircir
Les griseries futures sous les chaumes pourprés

Les augures étaient bons et la lumière heureuse
Les filles raisonnables préparaient leurs baisers

L'aubépine et les chênes du sentier des amants
Où s'enlaçaient nos rêves se mêlaient à nos rires

Qu'est devenue l'abeille aimante sur mes soupirs
La robe sur son corps comme un voile subtil

Dessinait sa poitrine et fleurissait mon cœur
Reine en ses pas lascive sous la sylve ombreuse

Reine en mon jardin et Reine en son parfum
Fraîche en son secret boisé de musc offert

L'un de ces matins gourmands où s'éveille l'été
Et succombent dans leurs emportements

Les chairs et les âmes des enfants heureux
Qui ferment un instant leurs paupières ingénues.

(Littenheim. Maison Reinhardt, 23 août 2022)

Que me dis-tu l'Oiseau

Les dômes argentés
Des palais apparaissent
Sur le champ de l'éveil
Qui s'ouvre sur ta vie
Je me vautre dans le ciel
Où des cloches fluettes
Tintent parmi les aboiements

Dans le chaos des heures
Comme un titan noir
L'univers s'élève

Vois
Je virevolte et je plonge
Vers un tapis de fleurs
Je m'élève tout droit
Et là-haut je picore
Les flammes du soleil

Toi
Je me méfie de toi
Car le lait de ta peau

A une saveur amère
Tu as peur tous les jours
Que respire ton âme
Tu crains l'arbre heureux
Qui cajole ton cœur
Mérites-tu les peines
De l'argile et du vent

De grands papillons
Aux ailes orangées
Dessinent des planètes
Et composent dans les nuées
De longues rhapsodies

Je te dis tout du monde
Mon chant murmure
À ton cœur aveugle
Ce qu'il ne peut savoir
Je te dis tout du monde
Du sein fleuri d'une colline
Là-bas une source joyeuse cabriole et s'étonne
Écoute et vois ce que je vois
Puisque je suis le Mage
Le Messager des êtres
Qui ne connaissent rien du temps

Écoute
Je suis l'Oiseau l'Esprit
La substance de l'âme
Mon bec trempé d'un jaune lumineux
Une fleur d'albizia orne ma nuque ronde
Je me pose souvent sur l'épaule d'un ange

Mes plumes sont les pétales
D'une rose nouvelle
Dont le parfum me charme

Tu cherches encor l'amour
Sans même en percevoir l'essence
Il est là il t'étreint
Il exhale son souffle
Partout sur notre terre aimée
Dans les flots puissants
Des fleuves et de la mer
Il envahit l'azur des cieux
L'évanescent rideau de l'espace
Il est le feu de la foudre
Le sang la sève la poussière

L'eau aiguillonne les rocs
Un miel divin répand ses gouttelettes
Sur les pistes que tracent les animaux
Des miroirs aux reflets sombres
Étalent çà et là leurs liqueurs
Et jaspent par endroits les pastels ferreux
Du drap de sable des déserts
L'air a des relents de volupté
Tout est désir en l'univers
Où se conjuguent nos âmes

Entre tes âpres aurores
Et tes lents crépuscules
Tu ne l'aperçois pas
Inlassable au travail
Au beau milieu des friches rebelles
Où se meuvent les créatures du monde
Tu tailles tu laboures et tu arraches en vain
Ta sueur brûle le sol
Ton haleine le ciel

Je baigne mon plumage
Dans le merveilleux scintillement des étoiles
Mes pensées ne font pas ce que je suis
Je suis l'enfant la perle sacrée
D'une planète bénie
Maintenant je plane au-dessus
Des prairies où demeurent les morts
Je vois des coupes et des plateaux de fruits
Ils sont là et parlent aux dinosaures
Dans la douceur sereine de l'éternité

Je dis tu coures
Mais le présent n'existe pas
Ton passé fuit ta mémoire
Seul l'avenir s'imagine
Tes paroles comme une nuée de hannetons
Couvrent les harmoniques saintes du jardin
Dont tes yeux se préservent
Tu n'as d'yeux que pour les pierres
Courbé sous l'espoir d'ériger des bâtiments

Et des chemins de bitume

Écoute encore l'aimable chant
Céleste de ton cœur
Je te dis tout du monde
À quoi servirait de te plaindre
Écoute simplement le chant profond
Ce chant d'abondance qui s'élève
Et nous féconde

Vois par mon œil
Écoute par ma gorge fine
Vocaliser la mandoline des Dieux
Je sais nager dans l'ombreux océan
En ces contrées sans horizon
Aussi bien qu'un dauphin
Je nage comme les êtres limpides
Nagent dans l'univers des songes
Des lèvres roses des sirènes
S'épanouissent des girandoles
Comme autant de corolles empourprées dans la neige
Ici il n'est de jour ni de nuit
Le feu s'y love et sa chair est velours
Son corps s'étire dans les brumes
Il y a des poissons jaunes couronnés d'émeraudes
Des serpents bleus qui dansent avec l'écume

Tu doutes
Tu cherches la vérité
Mais la vérité est changeante
Comme l'est un secret
Elle se dérobe elle se cache
Te fait perdre ton temps
Tu crois la reconnaître elle t'attire
C'est une empuse elle t'épuise
Une griffonne elle t'affame
Le tumulte déferle sur ton cœur
Comme la lame sur le brisant
Tu cours vers un trésor
Mais ce n'est qu'un mirage
Qui ne t'appartient guère
Le trésor est ailleurs
Les peines comme les joies sont des joyaux
Sur la couronne du destin

Je te dis
Tout naît du ferment indicible des brasiers
Et l'un après l'autre lentement
S'égrènent tes calendriers
Envahis de broussailles
Tu es une fourmi qui s'offrirait à Dieu
Plutôt qu'à la forêt

Aujourd'hui je suis heureux comme hier
Mes plumes peignent des bleuets
Qu'ensoleille l'aurore sur le vert des pâquis
Mes duvets allument des étincelles

Projetant leurs éclats sur le linon des cieux
Un scarabée promène nonchalant
Au long d'une sente d'argile sèche
L'aigue-marine de son corps épais
Je suis le moustique du marécage
Qui goûte la saveur des mares
La guêpe des vergers s'enivrant de pêches mûres

Toi
Tu t'égares au pays des paupières brûlées
Ta gorge est sèche sur la piste des louves
Dans tes rêves elles t'effraient quand hurlent leurs petits
Tu vois la pourriture des corps sur la tourbe tiède
Mais tu n'entends plus la multitude des ombres

Je vois sous les pierres se terrer des scorpions
Dans la fraîcheur des souches sommeiller la vipère
Il y a des lions en colère et des taureaux en larmes
Hélas je ne sais plus désormais
Où est l'ordre ancien des vents qui conduisaient mes ailes

Toi
Tu as peur et tu t'égares
Je me méfie de toi
Car tu vis maintenant
Comme la tique affamée sur la peau d'une panthère

Respire avec moi
Éveille-toi
L'herbe est soyeuse
Comme les mèches du nourrisson
Je peins la rosée blanche d'une touche légère
Et les grains gémissants de l'avoine
Qui pleurent sur les glèbes
Mes chants résonnent de prodiges
Et je grave dans la couleur
Un sentier de montagne

Regarde ce que je vois
Les merveilles les mystères
Tout est là
Tout est en mon âme comme en toi
J'aime le chaos qui me nourrit
L'harmonie qui m'enchante
Éveille-toi.

L'indicible subtil et pur
Hors de l'Être
Occupe Tout

Là sur la toile et les papiers de la rive
Quand les signes de craie
Tracent nos présences sur la terre
Reçoivent les offrandes et les chants
Dans l'espace et le vent qui courent
Il s'écoule comme un bruissement d'eau
Qui frémit sur les feuilles et les herbes

À cet instant béni l'homme qui sait
S'élève enfin dans son aube lustrale
Il entend sur sa peau nue une voix lumineuse
Et dans son cœur entre l'Esprit du Monde.

Chaos
Répandus en d'originales volutes
Hors l'œuf ou en dedans
Je n'ai pas le temps

Je n'ai de temps qu'en comptes
Sur l'îlot de tant d'œuvres
Secrètes et méthodiques

Chaos
Providence
J'y retourne comme un agonisant
Saint

Absent de l'œil ouvert aux seuls nombres

Je n'ai de temps qu'aux paroles qui n'ont de sens
D'envies
De longues nuits

Patience pour l'attendre
De temps qu'en comptes libérés

Mes craintes tues je tiens ouverte la paupière
Sur des droites affligeantes

Il convient de lutter.

Tout près de nous l'âtre d'hiver projetait ses horizons
Dans notre pièce entoilée de ciels maculés
De Mauves et de pourpres Lotus
Lors aux vibrations de notre amour
Nous caressâmes au jardin les frêles Ancolies
Nous possédâmes des branches de Bambou
Des désirs idéals illuminèrent les saisons écoulées
Nous jetâmes au feu les fagots et les pâles corolles
Les médaillons d'argent et leurs charmes secrets

Sur les murs des rues mornes où passaient de pauvres gens
Nos rires résonnèrent comme de folles clameurs
Telles des provocations des libertés baignées de sèves
Fallait-il oublier éteindre encore les braises
S'envelopper de cendres sans larmes à sécher
Ainsi couchés sur les parefeuilles d'argile chaude
Blottis l'un contre l'autre heureux de nos habitations
Bercés et ivres tout deux lovés dans un seul être
Illuminés nous nous moquions des heures paresseuses
Qui assombrissent les passions

Le temps dans sa duplicité nous fit croire aux matins
Joyeux et sûrs de nos éternités sereines
Nous ignorions que s'envie le bonheur
Que veille sur la pierre froide
Méduse souveraine

Haineuse sournoise laide en son dessein
Qu'importe si j'ai souffert qu'importe si j'en pleure
Elle eut raison de ton amour et se rit de ma peine
Qui déchire à jamais la toile heureuse de nos heures

Peu importe mes peurs je me mis à peindre des mortes
Dans l'espoir qu'elles fussent toutes belles
Je me mis à peindre des corps interrogeant les arbres
Des torses verts suspendus dans l'espace
Ou couchés dans la nuit d'un satin d'outremer
Comme remisés par la colère de cet amour perdu
Des masques prophétiques regardent d'un œil doux
Désormais l'univers assagi de mes sérénités

Tel Arion mes chevaux vibrent sous les couleurs d'un temps
Où la clarté rose de l'air embrase les crinières
Gorgés d'azur nourris de la force du monde
Leurs spumeuses allures sont des danses légères.

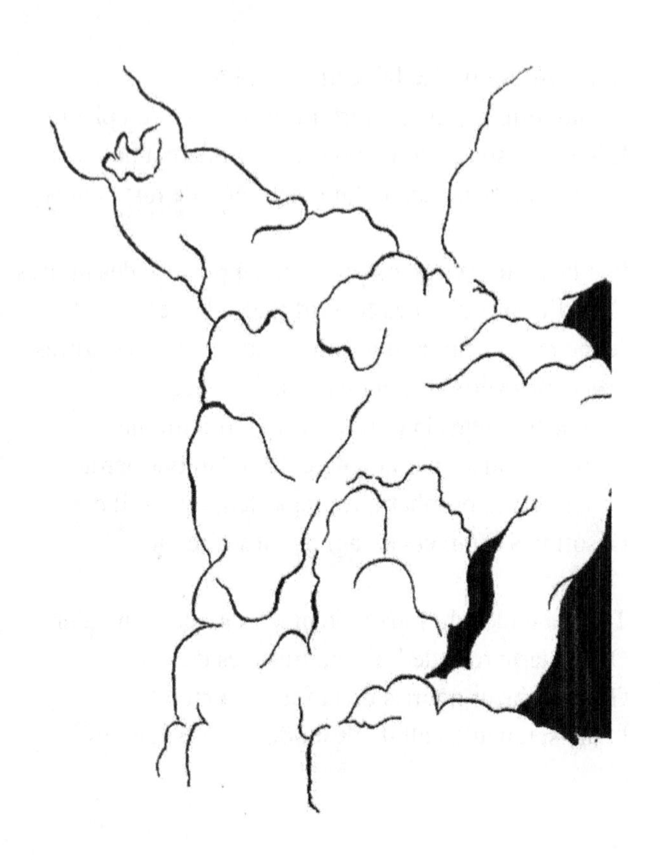

De cette pomme dans ma main
Surgissent des navires
Leurs voiles comme des colombes
Griffent les ténèbres

Au loin des ifs plient
Leurs ombres angéliques
Il y a des grains de soufre
Et des paquets légers
Qui filent sur la longue houle
Des coquelicots que l'on épie

L'orage envoie sa peine
Mais il parle aux flambeaux
De ce juillet lascif
Les jeunes filles généreuses s'étendent
En silence sur la peau des rivières
Qu'attouchent de longs saules

Leurs yeux fermés elles sourient aux miroirs
D'où naissent des êtres éphémères

Dans le feu des ornières
Pendant que les géants chantent sur la terre
Des hymnes aux bêtes défigurées.

C'est l'automne
Ce soir un givre insensé brodé sur mes paupières
Trace des roses de pierres blanches

Au loin déjà
L'heure sonne de joindre mon cœur aux étoiles
Tu ne m'aimes plus

Dans ma fatigue
Où je frissonne des rideaux lourds de nuits amères
Effacent les éclats tendres de tes chairs

Las j'abandonne
Aux chiens morts un peu de temps et ce silence
Où s'évanouit ton souvenir

L'automne laisse
Dans la chambre close les jours en friches abandonnés
Je voulus croire en notre amour

Cet autrefois
Où je chantais des berceuses sans illusions
Sous la lumière de gemmes ardentes

Apeuré je chantais
Caressant nonchalant les herbes acérées
Que tourmentaient un à un nos hivers

Mon timbre rauque
Esquissait toutes les lignes du monde
J'imaginais une brassée d'orge sur mon cœur

Maintenant
C'est septembre je vais accrocher mon âme au soleil
Le corps fleuri de lys et de douleurs.

D'insensés mimosas jettent leurs vivats dans l'air hivernal
Qu'importent les furies passagères
Elles voilent la lumière

À chaque silence
Renaissent les flots d'hier
Rien n'y peut ombrager son regard
Hors des mouvements protégés
Des rumeurs des gelés

Des rides molles creusent son corps
Il attache encore à sa vie des rivières
Des ombres et danse avec elles dans les fossés
Des mascarades

Il bouge comme un pantin de feutre
Des tambourins rythment ses rires
Dans la musique des dimanches
Attentif à son souffle ténu
Il a froid

Il fait des songes âcres
Comme des fumées de cendres
Et respire un vertige dans les couloirs
Éclatants

Des ronces printanières
Grimacent dans ses yeux
Et portent à jamais les fruits rouges
Du remords

Il a de longs stigmates
Sur la poitrine et sur le front
Son pas résonne dans les cours
Sans plaisirs

Des brouillards levés aux jours aboutis
L'étouffent dans ses habits de fête salis
Comme un enfant peureux
Enfin
Il pleure.

Je suis Janus Prince idéal des aurores
Né de l'hiver où tout commence
Mon ciel absolu est pur
Des astres légers y brillent intensément

Je vais accablé vers l'azur des gouffres
Double est mon âme et double est mon visage
Trop de fureurs ont brisé mes images
Ces jours de plomb d'épouvante et de soufre

Je suis Janus Prince idéal des aurores
Né de l'hiver où tout commence
Bientôt tour à tour j'embrasserai les muses
Et leurs chants berceront tendrement mes amours

Hirsute j'apparaîtrai sous un soleil de lave
Les chardons bleus grifferont mes genoux
L'averse claire fera des larmes sur mes joues

Je ris maintenant dans la bourrasque
Et grave sur les falaises roses que délave la mer

Je suis Janus Prince idéal des aurores
Né de l'hiver où tout commence
Je suis Janus sans père ni mère
Nul ne saura
Ni où
Ni quand
Ni pourquoi
Je suis mort.

***

Imprimé en Allemagne
Achevé d'imprimer en novembre 2022
Dépôt légal : novembre 2022

Pour

Le Lys Bleu Éditions
40, rue du Louvre
75001 Paris